RAYMOND POZO

¿Y AHORA QUÉ?

¿EN BROMA O EN SERIO?

LO ADVERSO
Y LO CÓMICO
DE UNA VIDA
CON PROPÓSITO

¿Y AHORA QUÉ?
¿EN BROMA O EN SERIO?

Autor: Raymond Pozo
Edición y corrección de estilo: Vivian Jiménez
Concepto de portada: Moisés & Lucero Goroa | Goroa's Creative Studio
Diseño y diagramación general: Euselandia Alcántara | ERAS
Fotografía de portada y contraportada: Jochy Campusano
Fotografía familiar de la boda: Lauren King
Fotografías Raymond & Miguel: Jochy Campusano
Casa Editorial: ERAS Disgraf, Llc. | Miami, Florida | New York, USA
ISBN - Libro Amazon impreso - tapa blanda: 978-1-5136-9760-4
ISBN - Libro Amazon impreso - tapa dura: 978-1-5136-9919-6
ISBN - Libro Amazon Kindle: 978-1-5136-9761-1
Distribución mundial.

Contacto: Raymond Pozo
Email: raymondpozointl@gmail.com
Facebook: @raymondpozooficial
Instagram: @raymondpozoofficial
YouTube: RaymondPozo Official

DEDICATORIA

Primero a Dios, por ser mi padre, mi guía, mi señor y salvador, por darme la oportunidad de conocerle.

A mi esposa: Marisela Pinales (Mayra), un ángel que Dios envió a mi vida para hacerme un hombre muy feliz.

A mis hijos: Estrella Rachel, Lucero Mariel y Raymond Junior.

A Meléndez Levita, porque gracias a su dedicación incondicional este libro es hoy una realidad.

ÍNDICE

PRÓLOGO

He recibido un impacto positivo al leer las páginas de este libro, razón por la que lo recomiendo como un valioso recurso de motivación, crecimiento y superación. Por medio de esta lectura podemos disfrutar tanto de la biografía como del poderoso testimonio de vida y fe del comediante y evangelista Raymond Pozo, narrados de una forma magistral, con la gracia, el humor y la sencillez que lo caracterizan.

Me atrevo a asegurar, sin duda alguna, que al leer estas páginas disfrutarán de una experiencia renovadora y muy emocionante. Conocerán cada una de las historias y vivencias del autor plasmadas en cada capítulo, que nos revelarán uno de los secretos de la felicidad, que trasciende las circunstancias, al que la palabra de Dios llama el "contentamiento", que consiste en aprender a estar gozosos aun en medio de cualquier adversidad.

> No lo digo porque tenga escasez, pues he aprendido a contentarme, cualquiera que sea mi situación. Sé vivir humildemente, y sé tener abundancia; en todo y por todo estoy enseñado, así para estar saciado como para tener hambre, así para tener abundancia como para padecer necesidad. Todo lo puedo en Cristo que me fortalece.
>
> *Filipenses 4:13*

Es impactante conocer la experiencia de conversión, transformación, crecimiento y grandes logros en la vida de un hijo de Dios, un hombre de pueblo proveniente de humildes comienzos quien, en el transcurso de los años y a lo largo de su carrera artística, ha demostrado que no basta con tener talento y carisma, sino que también se requiere disciplina, carácter y dedicación, todo ello evidenciado con idoneidad.

Hoy, ese hombre goza del respeto, cariño y admiración de sus seguidores dentro y fuera de su país, lo cual lo ha convertido en un referente de humildad y perseverancia.

Este libro afirma lo que un Dios extraordinario puede hacer con la vida de una persona aparentemente sin relevancia, llevándolo de la escasez a la abundancia, y usándolo como instrumento para predicar Su palabra y manifestar al mundo Su eterno propósito en Cristo.

Confío plenamente en que será muy edificante para cada lector. Honro el testimonio y depósito de Cristo en la vida de un hombre renovado por Su gracia para transformar a muchos, como lo es Raymond Pozo, y dedico mi oración para que, de la misma forma, Jesucristo sea revelado en cada corazón, con la convicción de que, como Dios lo hizo con él, lo puede lograr con todo aquel que le permita ser el Señor, único y suficiente salvador de su vida.

Dr. Yasser Rivas
Pastor
Congregación Cristiana Central
Santiago, República Dominicana

OK, ya tenemos lo que tanto queríamos, esa casa soñada, esa posición anhelada, ese matrimonio deseado, ese vehículo del año, ese avión, ese terreno, ese local o esa visa... *pero, ¿¿¿y ahora qué???* Esa es la interrogante que casi siempre surge cuando alcanzamos la meta que entendíamos nos haría la persona más feliz del mundo, después de invertir en ella tiempo, esfuerzo, sudor, dolor, lágrimas y entrega, una vez aplacada la euforia inicial, cuando reaparecen la infelicidad y la insatisfacción con la vida. La respuesta es simple: hay aspiraciones que, como el dinero y los bienes materiales, aportan estatus, comodidad, facilidades y otros beneficios, pero no felicidad, porque no se puede comprar lo intangible, lo que verdaderamente llena ese vacío y te hará sentir pleno. Hace falta algo más.

La felicidad está más relacionada con la justicia, con hacer lo correcto. Ser justo te convertirá también en una persona atinada y ecuánime. De esa forma, las acciones que emprendas te harán sentir feliz, porque caminas con rectitud de palabra y cuando respetamos esa fórmula viviremos de una manera más placentera.

¿En alguna ocasión te has preguntado por qué si tal persona tiene tanto dinero y fama se le nota el mal vivir en el rostro y por qué le molesta tanto el éxito ajeno, si aparentemente no tiene nada que envidiarle a nadie? Es que se propuso, por encima de lo que fuera, conseguir dinero, poder, respeto, pero se le olvidó algo muy importante y fue que para vivir en plenitud y tener paz, sin importar el estatus o los bienes materiales que obtengamos, debemos crecer de manera integral, tanto por fuera como por dentro.

Pero, lamentablemente, cuando vamos por la vida con hambre de poder y de venganza contra los que nos humillaron y nos maltrataron, solo queremos llegar alto para obtener posición y, de inmediato, cobrar los agravios. Esa es la respuesta a la pregunta que se hacen muchos: ¿por qué, si no tiene necesidad?

Quien no cuidó los detalles, consiguió todo lo que se propuso, pero cuyo espíritu quedó "lánguido y flacucho" porque nunca lo alimentó, cuando se ve nadando en oro, forrado de billetes, pero solo, entonces se pregunta: ¿y ahora qué? No quiero decir con todo esto que el dinero sea malo y ese es, precisamente, un tema que analizaremos con más detalles en uno de los capítulos de este libro.

Más que un libro de motivación o el testimonio de alguien que se aferró a Dios por temor a la muerte o a no ser quemado en el infierno, lo que quiero proporcionarte es un consejo para la vida y te garantizo que será útil en cualquier área que lo apliques. Y no es que haya diferencias entre tú y yo, pues somos hechura del mismo creador, con talentos distintos quizás, pero, con mi caso, quiero mostrarte que si decides desarrollar el tuyo con disciplina, perseverancia y fe, al igual que yo lo hice, podrás brillar en tu máximo esplendor y notarás la misma mano del creador en tu vida y en todo proyecto en el que estés involucrado.

Nací en la más extrema pobreza, en un rincón rural escondido de mi amada Quisqueya, lo que no fue impedimento para soñar ni creer. Tal vez pienses que fue fácil para mí, que soy dichoso y que por eso las cosas se me dieron así como así, de la noche a la mañana, pero si te quedas conmigo para recorrer el camino a través de estas páginas, te darás cuenta de que ha estado sembrado de espinas, pero que a los que aman a Dios verdaderamente todo les obra para bien.

No creo tener la verdad absoluta ni pretendo con este libro cambiar el mundo ni derrumbar paradigmas ni mucho menos defender mi fe en mi creador, puesto que la verdad no se defiende, porque es poder y este está por encima de cualquier argumento o levantamiento. Mi único objetivo es mostrar las herramientas que descubrí, que utilicé y que me funcionaron para lograr mis objetivos en la vida.

> *Y sabemos que para los que aman a Dios, todas las cosas obrarán juntamente para su bien, para los que conforme a su propósito son llamados.*
>
> *Romanos 8:28*

Mi plan es hablar de amor, porque lo he experimentado en su máxima expresión, hablar de perdón, porque he aprendido a perdonar y porque he sido perdonado; hablar de fe, porque he podido conocerla, ejecutarla y ver el resultado irrefutable que tiene cuando se usa de manera correcta porque, cabe aclarar que es un instrumento de doble filo, cada uno muy cortante, por lo que si lo utilizas mal podría acarrear consecuencias fatales para tu vida y para todos los tuyos.

He sido un libro abierto al público. No soy perfecto, pues creo tener más defectos que virtudes, pero me he propuesto ser honesto y mantener la coherencia en mis pasos a través de la vida y mi carrera, porque entendí que quien menos crees te toma de modelo, te imita, juega a ser tú, así que no quiero decepcionar a alguien que se inspire en mí, por eso me aferré al mejor ejemplo y trato cada día de imitarlo y parecerme a Él. Estoy lejos de eso, pero algún día, aunque sea un poquito, me voy a parecer a mi maestro, Jesús.

En *¿Y ahora qué?* veremos un organigrama de mi vida con puntos altos y otros muy bajos, pero todos necesarios para poder formar a un hombre con fe y propósito. Notarás que mi vida no es extraordinaria por lo que tengo en términos materiales, sino por lo que porto en espíritu, porque si no fuera por eso, todo lo demás sería nada.

Iluminar tu vida con herramientas que te ayuden a salir del círculo que te mantiene triste, apático, infeliz, seco en espíritu y viendo cómo todo lo que llega a tu mano parece ser depositado en saco roto, es el propósito de este libro, mostrarte lo único verdadero que le puede dar sentido especial a todo lo que tengas, hagas y pierdas en esta vida.

Este libro hablará más de Dios que de mí, porque lo que soy se lo debo a Él, pero no es un contenido religioso por el hecho de mencionar mucho las palabras Creador, Dios, Jesús y Jehová. Lo que sucede es que todo lo que ves de mí y todo lo que he podido alcanzar en la vida es gracias al poder y la enseñanza que me han dado desde lo alto y por mi fe activa en el creador de todas las cosas y su amor inigualable hacia mi persona, mi familia y todo lo que me rodea.

Lejos de que te identifiques con una denominación, doctrina o religión, mi anhelo más grande es que puedas tener un encuentro genuino con Dios, que Él te ilumine y que puedas conocer la verdad y que la verdad te haga libre, como lo expresó el propio Jesús a los judíos (Juan 8: 31-42).

Cuando digo "libre", me refiero a libre del sistema, de las garras malignas, de cualquier pensamiento adverso y hasta de ti mismo, que ya no seas tú, sino Él en ti. Ese es mi mayor anhelo, así que te invito a recorrer esta historia conmigo.

Una vida llena de éxitos, de aplausos, de muchísimos logros. Esa es la vida del Raymond Pozo que todos conocen. Ciertamente, así ha sido y agradezco a Dios que haya estado conmigo en cada uno de esos momentos, de lo cual tengo la seguridad absoluta.

Ahora bien, hay otra vida, que es la de Ramón Figueroa Pozo, mi nombre de pila, llena de precariedades, pobreza y calamidades, pero tengo la convicción de que, aun así, en cada uno de esos momentos, Dios tampoco me dejó solo nunca.

En el ámbito de la Psicología se dice que las personas tendemos a recordar pocos detalles de nuestra infancia y adolescencia, pero creo que hubo cierta excepción conmigo, porque mi memoria guarda muchísimos pormenores de esas etapas. Quizás ese era el propósito de Dios para que yo, en este momento de mi vida, pudiera contarlo y que fuera una bendición para quienes me lean. No tienen idea de lo dichoso que me siento de poder contarles una versión resumida de mi vida de una manera parafraseada, porque no cabrían en un libro de mano todo lo que me ha tocado vivir en este hermoso hogar donde coincido con todos ustedes, llamado Tierra.

Ser de bendición es una de mis mayores pasiones, porque aprendí que hay mayor satisfacción en dar que en recibir y, como dicen, al que mucho se le perdona, mucho agradece. Como se me ha perdonado tanto vivo dando gracias durante todo el día y será un placer para mi aportar un granito de arena a tu crecimiento espiritual, profesional y personal con esta historia que habla de un hombre que fue bendecido desde el vientre de su madre y que, a pesar de las dificultades, la paz y la felicidad siempre han sido sus mayores aliadas.

MI INFANCIA

La pobreza nunca me limitó para saber que Dios estaba ahí. Yo siempre oraba porque sabía que había algo más allá de lo que estaba viviendo.

MI INFANCIA

Nací el 8 de agosto de 1966 en Jamey, un paraje de la provincia San Cristóbal, de la República Dominicana, donde las precariedades y la pobreza eran el panorama que yo veía desde que me levantaba. Soy el sexto de diez hermanos. Vengo de una familia sumamente amorosa y cariñosa, que nos enseñó desde pequeños el amor y el apego a Nuestro Señor, Jesucristo.

Nuestros padres, Pedro Figueroa, un maestro constructor, y Cristina Pozo, ama de casa, nos enseñaron a amarnos, respetarnos y depender de Dios. También nos inculcaron el respeto a los demás y a valorar la amistad.

Cuando tenía cuatro años, nos mudamos a San Cristóbal, la ciudad cabecera de la provincia. Nuestra familia era tan pobre que, aunque sumábamos diez hermanos, en mi casa solamente había dos camas y una era de mis padres. Es decir, que los diez hermanos dormíamos juntos en una sola, tan unidos que soñábamos lo mismo. Sin embargo, mi memoria no registra ningún momento de infelicidad debido a esas precariedades.

Recuerdo con muchísimo orgullo, en vez de pesar, las tantas veces que no había nada que comer, las tantas cosas imprescindibles para cualquier persona y en cualquier casa de familia de las que carecíamos, como ropa, zapatos, electrodomésticos, muebles, utensilios de cocina, sábanas, etcétera. Aun así, subsistimos y nos superamos.

En esos tiempos de necesidades extremas, cuando llegaba la hora de comer, mi papá, de quien heredé la vena cómica, reunía a sus diez hijos, se encerraba con nosotros en la casa y nos contaba chistes e historias, hasta que pasaba el tiempo de alimentarnos, se nos olvidaba y seguíamos felices.

> *No solo de pan vivirá el hombre, sino de toda palabra que sale de la boca de Dios.*
> *Mateo 4:4*

Cuando tenía unos cinco años me inscribieron por primera vez en la escuela, pero no fue sino hasta la semana siguiente del inicio de clases cuando asistí, porque no tenía uniforme, zapatos, libros ni cuadernos; no tenía nada. Me preguntaba cómo me iba a presentar a la escuela en esas condiciones.

El río Nigua quedaba bastante cerca de mi casa. Como de vez en cuando arrastraba cosas, se me ocurrió ir a ver si encontraba unos zapatos. Dentro de la basura acumulada en la orilla hallé uno solo.

Estaba en muy buenas condiciones, así que lo agarré, lo limpié, me lo llevé y al día siguiente llegué a la escuela con el zapato puesto, fingiendo ser cojo para justificar la ausencia del otro.

Pero la farsa no pudo durar mucho tiempo, pues ya me habían perdonado que fuera sin uniforme, con un solo zapato y cojo. Además, el profesor se dio cuenta, me llamó aparte y me dijo que le pidiera a mi padre que le buscara solución al problema. La semana siguiente, mi papá se compadeció y, no sé cómo, pero pudo comprarme unas zapatillas unisex para niños que se usaban en ese entonces, fabricadas con goma.

Cuando me ponía las zapatillas, por las mañanas, todo estaba bien, pero cuando el sol se encendía no aguantaba el calor que me causaban. Recuerdo que me pegaba de una columna de la escuela y trataba de hacer una especie de eclipse solar; ponía un pie encima del otro para que lo tapara del sol. Luego, ese pie descansaba y tapaba al otro. Todavía hoy, de vez en cuando, creo ver en mis pies el estampado del letrero *Made in Japan* que portaban las susodichas zapatillas en las plantas.

Como el sol ardía tanto, no me gustaba salir al recreo, pero comenzaron a perderse lápices, lapiceros, sacapuntas, borradores y reglas. Dios sabe que yo no era el culpable, pero todos dudaban de mí, ya que permanecía en el aula a la hora del recreo. Aunque nunca nadie me acusó, decidí que lo mejor era salir y soportar el calor del sol que vivir bajo la zozobra de que se dudara de mi persona. Y, aun así, siempre tuve el afecto y el aprecio de mis compañeros y de mi profesor.

> *El sol no te fatigará de día, ni la luna de noche. Jehová te guardará de todo mal; él guardará tu alma. Jehová guardará tu salida y tu entrada desde ahora y para siempre.*
>
> *Salmos 121: 6-8*

Cuando pasé a sexto curso, compartí un par de tenis con mi hermana Manuela. Ciertamente, Dios camina por senderos extraños junto a nosotros, sus hijos. Pese a que ella era mayor que yo, calzábamos el mismo número.

Manuela iba a la escuela en las tardes y yo, para ese entonces, acudía a la tanda nocturna. Cuando ella llegaba, yo la esperaba ansioso para ponerme esos mismos tenis y poder ir a clases. De esa forma, los tenis se hicieron bachilleres dos veces, una por ella y una por mí.

La pobreza nunca me impidió ver la presencia de Dios. Yo siempre oraba porque sabía que había algo más allá de lo que estaba viviendo. Había mucha pobreza en el barrio Las Flores, muchas limitaciones, pero siempre tuve fe y la convicción de que había que estudiar y prepararse. También estaba muy consciente de honrar a mis padres con el bien y darles una parte de lo poco que ganaba.

Puedo decir que fui bendecido desde el vientre de mi madre porque, a pesar de nacer en medio de una extrema pobreza, nunca me faltó amor, apoyo y compañía, porque tuve el privilegio de nacer en el seno de una familia unida y creo que este es un factor importante para el crecimiento de cada individuo.

Una de las principales manifestaciones de ese amor y apoyo familiar la encontré en mi madre. Puedo afirmar, sin que me quepa duda, que no fue el talento, sino su palabra lo que me hizo artista. Ella lo decretó así, desde que era niño, y le creí. No sé si ella viajó al futuro y lo vio primero que yo, no sé si tuvo un sueño o tal vez solo fueron esos ojos del amor que tienen las madres para ver a sus hijos bonitos y talentosos, aunque no lo sean. De lo que estoy seguro es de que le creí.

Mi madre era una mujer de fe y siempre nos motivaba a creerle a Dios. Considero que ese fue el ingrediente más importante para mantener la familia unida. Mi padre y mis hermanos también fueron indispensables en mi vida, y por eso leerán acerca de ellos en cada faceta que les muestre en este libro. A ti, que has llegado hasta aquí y quizás te preguntas por qué no tuviste la familia que querías, el amor que necesitabas, el afecto, la dedicación de personas que velaran por ti, recuerda que aunque padre y madre te dejaren con todo, Jehová te recogerá, que se sufre más si se tira la toalla de inmediato.

Es entendible, pero recuerda que tienes un compromiso contigo mismo de sacarte al frente, de dar lo mejor de ti y ser mejor que como lo fueron contigo, para que este ciclo no se repita, sino que tu descendencia disfrute de paz, amor, apoyo y, sobre todo, de un padre o una madre que estará siempre con ellos.

Este es un recuento de mi infancia, pero las cosas no terminan ahí, vamos al siguiente nivel para que veas cómo la mano del creador me sustentó durante toda mi vida. Por eso, aun en el momento más desagradable, pude tener paz en medio de la tormenta. La explicación es que cuando portas un propósito, cuando atiendes a un llamado, no importa en la circunstancia que nazcas, Dios pondrá los medios para que llegues a Él y cumplas la misión. Tu inicio no determina tu final, tus limitaciones no determinan el tamaño de tu éxito, no importa en cuál escalón de tu vida vas y qué tiempo lleves caminando, no te sientas estancado, porque hasta las estaciones del año toman un descanso. De vez en cuando reanímate y continúa, que todavía no es el final.

> *Estoy convencido de esto: el que comenzó tan buena obra en ustedes la irá perfeccionando hasta el día de Cristo Jesús.*
> *Filipenses 1:6*

Yo nací un día ocho, allá, por el mes de agosto.
Soy de la familia Pozo, cosa que me hace orgulloso.
El sexto de diez hermanos, ¡por Dios que a todos los amo!
Los padres que Dios me ha dado son mi anhelo y mis amores,
¡Pedro Figueroa y Cristina son mis joyas que más adoro!

Fragmento 1
Trabalenguas de mi vida

Cuando tu enemigo tiene la
risa de oreja a oreja, porque te
está viendo destruido, es ahí,
entonces, cuando Dios hace su
entrada magistral, llega en
tu auxilio y te levanta.

MI ADOLESCENCIA

Si anhelas un milagro, no te
desesperes. Cuando menos lo
esperes puede que se realice,
que en el tiempo apacible
venga el favor de Dios
y renueve todo tu ser.

MI ADOLESCENCIA

Por mi condición de pobreza me vi en la necesidad de realizar todo tipo de trabajo honrado desde que tenía tan solo ocho años. Limpiaba zapatos, vendía pan, maní, cebollas, aguacates... vendía todo lo que estaba al alcance de un niño sin recursos por las calles de San Cristóbal con la intención de progresar y ayudar a mi familia. Siempre, la primera suma de dinero que ganaba se la entregaba a mi mamá. En medio de esos afanes fui creciendo.

66 *Honra a tu padre y a tu madre para que tus días se alarguen en la tierra que Jehová tu Dios te da.* 99

Efesios 6:2-4

Cuando tenía catorce o quince años y comenzaron a gustarme las muchachitas, surgió un sentimiento de vergüenza por realizar el tipo de trabajos mencionados, pero no me podía dar el lujo de dejar de hacerlos, ya que las pocas ganancias obtenidas eran parte del sustento de mi familia.

Guardo un recuerdo imborrable de mi graduación de octavo curso. Cuando fui a recibir el diploma, los demás niños vestían ropa nueva y bonita, mientras yo usaba el uniforme color caqui con el que asistí a clases durante todo el año, lo que me hizo sentir muy avergonzado. De ahí surgió mi interés por la sastrería, oficio que aprendí con mi maestro, Bernardo Ortiz (Rubí), alguien a quien aprecio, porque me abrió las puertas de su negocio y de su casa. Me enseñó y me hizo un profesional de la costura.

De modo que me convertí en sastre cuando aún era muy jovencito. Ya a los dieciséis tenía mi propio taller de costura, entonces, me daba ese gusto que tanto se merecía mi cuerpo y trataba de vestir bien. No sé cómo, sin que estudiara diseño de modas, Dios me dio la habilidad de crear diferentes estilos. Yo los usaba y de esa forma me convertí en una especie de modelo de mi propia ropa. Todos los muchachos del barrio Las Flores me veían y querían vestir como yo, lo cual me generó mucho trabajo y clientela.

Aun así, mi gran amor, mi pasión, era el arte, porque nací artista; es un defecto de fábrica. Yo veía los programas de televisión y decía que algún día quería estar ahí. Iba de San Cristóbal a Santo Domingo a los programas para ver las comedias y a los humoristas en vivo.

Mi taller de sastrería parecía una discoteca, porque tenía muchos recortes de periódicos y afiches de artistas. Se escuchaba música y los programas de farándula que transmitía la radio. Yo era el más actualizado sobre ese tipo de noticias. Todo eso reflejaba la inquietud artística que siempre tuve en mi interior, avivada después de la profecía de mi madre que creí con el corazón abierto.

Los milagros sí existen

Soy un creyente acérrimo en el poder y la existencia de Dios. Creo en Él como el ciego en el sol, no porque lo ve, sino porque lo siente. He sido un aventajado de la vida porque la misericordia de mi señor Jesús se ha evidenciado en mí desde muy temprana edad.

Sin embargo, hacia el final de mi adolescencia, una situación difícil llegó a mi vida y fue el detonante para que yo comenzara a ver a Dios de una manera más natural en todo lo que hacía, aunque transcurriría mucho tiempo hasta que lograra la conversión plena.

Cuando tenía 17 años me enfermé de neumonía, un padecimiento que afecta a los pulmones. Los míos estaban a punto de colapsar; no podía respirar, no dormía y tenía mucha fiebre, pero estaba bendecido por la fe ferviente de mi madre, la misma que nos inculcó a mis hermanos y a mí.

Estamos hablando de la mujer con más fe que he conocido. Orábamos juntos; yo me mantenía en mi habitación y mis padres y hermanos siempre estaban a mi lado dándome amor y fuerzas, pero un día, alrededor de las 2:00 de la tarde, me dejaron solo y tuve una revelación, despierto. Se me apareció Jesucristo (con la imagen con la que lo representan las películas y los cuadros). Me llevó a la orilla de un lago y nos sentamos frente a frente, cada uno en una piedra. Les aseguro que no recuerdo lo que hablamos, pero sí supe que fue una conversación larga. Me mostró a Marisela Pinales (Mayra), quien hoy es mi esposa y en ese entonces era mi novia. Ese inolvidable momento fue tan agradable que yo pedía que nadie nos interrumpiera. Mis hermanos pasaban y no entraban a mi habitación, a diferencia de las demás ocasiones, cuando siempre estaban pendientes de mí. Luego, le pedí a mi madre que entrara y ambos lloramos cuando ella me vio bañado de sudor. Le dije lo que había experimentado, me creyó, me paré en la ventana, tosí y Dios limpió mis pulmones, ya podía respirar sin dolor y sin dificultad. En ese instante reconocí que estaba sano y hasta el día de hoy no he vuelto a padecer ningún síntoma de aquella enfermedad.

Los milagros existen, pero no son una especie de trueque que se puede hacer con Dios, sino que, a través de la fe, podemos desprender su poder, así como aquella mujer que atravesó una multitud gigantesca para alcanzar a aquel del que ella creía que si le tocaba por lo menos el manto iba a sanarla. Por eso, cuando esta mujer toca a Jesús él se detiene y pregunta:

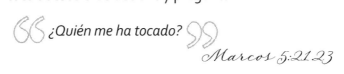

¿Quién me ha tocado?

Marcos 5:21-23

Cientos de personas abrumaban a Jesús siguiéndolo dondequiera que fuera pero, de repente, solo un toque a su manto lo detuvo. Él preguntó quién lo había tocado, porque esa vez se trataba de un toque diferente, de poder, a través de la fe, un toque que provocó la sanidad instantánea de esa mujer que desde hacía 12 años luchaba contra una enfermedad que le provocaba un flujo de sangre, en la que había gastado todos sus recursos sin lograr que los médicos la sanaran. Pero un día, con fe, se propuso alcanzar su milagro por medio de aquel hombre que traía a la ciudad bocabajo con su mensaje y sus proezas, y lo logró.

No hay nada que por medio de la fe no podamos conseguir, esta es la única vía por la cual podemos conquistar el corazón de Dios. Es imposible agradar a Dios si no tenemos fe; experimentar lo divino, si en nuestro botiquín no se encuentra ese componente. Los milagros existen, pero para poder verlos, primero tenemos que cultivar nuestra fe.

Mi madre oró con fe y el milagro de la sanidad se produjo. Fue el detonante para que yo comenzara a ver más allá de lo que mis simples ojos humanos podían ver y a creer que Dios tenía planes gigantes conmigo y mi familia. Fue tanto el impacto que este evento tuvo en mi vida que al contártelo lo revivo.

Hablar de los milagros que Dios ha hecho en mi vida y a través de mí me apasiona, me llena de esperanza, de amor, de fe, de la certeza de que Él acude al llamado de sus hijos, de que no estoy solo, de que si hoy sigo de pie no es porque sea el más talentoso ni la mejor persona ni el que más se cuida y protege, sino porque las misericordias del creador son nuevas cada mañana para mi vida y para los míos, y sé que este favor impactará de manera positiva y alcanzará a mi descendencia.

Si anhelas un milagro, no te desesperes. Cuando menos lo esperes puede que se realice, que en el tiempo apacible venga el favor de Dios y renueve todo tu ser. Nuestro trabajo es creer con fe y lo demás le corresponde a tu creador, a quien te trajo aquí y no te va a desamparar nunca.

Sé que muchos de mis vecinos al verme enfermo comentaron con pena: "Ese muchacho no va a durar mucho, no. Esa enfermedad se lo está comiendo vivo, mira lo débil que luce", porque cuando miramos con los ojos terrenales, pues vemos solo el problema, pero cuando miramos con los ojos de Dios, a través de la fe, como mi madre, vemos un milagro, una victoria, un ascenso en el nombre de Jesús. Tenemos que ver a través de los ojos de la fe para que nos demos cuenta de que todo es fácil cuando se tiene a Jesús enfrente. Si Él va delante no hay temor, Él nunca ha perdido una batalla, Él nunca ha quedado en vergüenza, ni nadie que haya puesto su confianza en Él ha sido decepcionado, pero es necesario mirar con los ojos de la fe, creer que lo que yo quiero ya sucedió en la eternidad y que solo estoy esperando que llegue el paquete en forma de milagro y de la manera que solo Dios sabe hacerlo.

Cuando todos a tu alrededor pierden las esperanzas, cuando tu enemigo tiene la risa de oreja a oreja, porque te está viendo destruido, es ahí, entonces, cuando Dios hace su entrada magistral, llega en tu auxilio y te levanta con mayor gloria que la primera vez y deja a todos con la boca abierta. Ese es el Dios en el que creo, el que me sanó y me ha acompañado en cada uno de los pasos que he dado en la vida, sin temor a equivocarme. ¡Que sea para Él toda la gloria!

Me enseñaron en la vida a estudiar y trabajar,
¡cómo se me va a olvidar! Algunos de mis maestros:
Carlos Sierra, Luis Ovidio, Melva Arándoles, Milcíades,
Freddy Gracia, Hipólito y su trigonometría, cosa que nunca pasé.

Fragmento 2
Trabalenguas de mi vida

Tú solo ves el impacto divino de Su gracia y Su bendición cuando al final del túnel surge esa luz que te dice: "Ha llegado un momento de ensanchamiento para tu vida".

MI JUVENTUD

Ante cualquier panorama gris que nos presente la vida, las primeras preguntas deberían ser:

¿Qué me quiere enseñar este episodio?

¿Qué debo aprender para subir el próximo escalón?

¿Cuál es la bendición detrás de esta situación?

Veremos cómo todo comienza a despejarse e iluminarse y el viento se tornará a nuestro favor.

MI JUVENTUD

Al retomar mi vida después de aquella vivencia tan hermosa disfrazada de enfermedad y dolor continué con mis compromisos y labores, en el preámbulo de una experiencia que marcaría el inicio de mi carrera como humorista.

Todo comenzó a través de un hombre cuya visión le daría apertura al talento de muchos jóvenes que hoy viven gracias al humor y la comedia. Ese hombre es René Fiallo, a quien le agradeceré mientras viva la oportunidad que me dio de participar en el Primer Festival de la Parodia y el Humor, que él organizaba.

René Fiallo era el concesionario de vehículos más famoso de los años 80 en la República Dominicana, a quien la mayoría de los artistas le compraban sus vehículos. Es además un destacado publicista, guionista y mercadólogo. Como humorista, cultivó con éxito en aquel entonces el género de la parodia.

Paralelamente a sus actividades empresariales, producía un programa de televisión en el que se buscaban nuevos talentos, que se transmitía por Rahintel, canal 7 (hoy Antena Latina).

Acudí al citado festival con mis hermanos y nuestro grupo, denominado La clave del humor, y obtuvimos el segundo lugar. Esa fue la primera vez que salimos por televisión y la exposición fue muy buena, pues parte de la población pudo ver nuestras habilidades. Eso no significaba que había trabajo garantizado ni que ya tuviéramos un sitial en la palestra pública ni que llenaríamos cada lugar donde nos presentáramos, pero fue el inicio de un gran repunte que algunos años después sería evidente. Para mí, como amante del arte, el simple hecho de presentarme junto con mis hermanos y nuestro grupo significaba un sueño alcanzado.

Esa participación me generó mucha esperanza y orgullo, pues pude notar que a las personas les gustaba nuestro trabajo, aunque estuvo llena de imperfecciones, producto de los nervios y la inexperiencia. Para mí, esa presentación representó una oportunidad de oro que recordaré mientras vida tenga porque fue la que me dijo: "Tú puedes pertenecer a este lugar porque dentro de ti hay todo lo que se necesita para triunfar". Ese "todo" no solo incluía al talento, pues si bien es importante en cualquier carrera, la disciplina, el respeto y la perseverancia lo son aun más, porque con talento puedes llegar más rápido, pero te aseguro que agregando los demás ingredientes mencionados, permanecerás por más tiempo en la cima de aquello que te propusiste alcanzar.

Como dije, aquella oportunidad fue solo una participación en un festival, de modo que tuve que seguir trabajando en mi sastrería, con amor, entusiasmo y todas las ganas de un día poder sustentarme de mi arte, pero, como todo en la vida, era cuestión de tiempo.

Entonces, la precariedad se impuso sobre el negocio de la sastrería. Se impusieron los pantalones jeans y la ropa importada. Los pedidos de la sastrería comenzaron a disminuir. Busqué trabajo en una zona franca donde se fabricaba ropa, porque ya en la sastrería, definitivamente, no había nada que hacer.

Cuando en la zona franca me pusieron a hacer cuellos de camisas pagados a RD$25.00, mientras que en mi sastrería me ganaba RD$100 "limpios" en una camisa, tropecé con la dura realidad. La diferencia de dinero era mucha y este no me alcanzaba para el sustento. Debido a eso, muchas veces tuve que dedicarme a ofrecer servicios de transporte en mi motocicleta.

Yo trabajaba en San Cristóbal transportando personas y, mientras tanto, vivía relativamente bien. Pero llegó un momento en que tuve que vender una de las dos motocicletas para poder subsistir. En ese entonces, quien hoy es mi esposa y yo ya teníamos cuatro años de noviazgo. Es una mujer virtuosa, un gran regalo de Dios, a quien le agradezco todos los días que la haya puesto en mi camino. Definitivamente, Dios pensó en mí cuando decidió crearla. Es un ser humano especial porque se casó conmigo aun antes de que yo fuera famoso. Jamás pasó por su cabeza que yo me iba a dedicar al arte.

Cuando, nueva vez, las precariedades comenzaron a tocar mi puerta, fui donde mi amigo René Fiallo, le expliqué mi situación y le solicité trabajo, consciente de que no era vendedor de vehículos ni sabía conducirlos y de que no tenía ninguna preparación para ocupar una posición en la administración o supervisión de este tipo de negocios. Él me dijo: "Aquí el único puesto que hay disponible es para lavar carros".

Buscaba trabajo para el sustento de mi familia y estaba dispuesto a lo que fuera, porque cuando se ama, cuando uno tiene respeto a la palabra que sale de su boca, cuando hacemos honor a cada decisión y compromiso que aceptamos, comprendemos que en nosotros está ir tras la solución de nuestros picos bajos en la vida. De manera que acepté con mucho agradecimiento esa oportunidad tan digna que me había ofrecido René para llevar alimento a mi casa y eso le devolvió la sonrisa a mi rostro.

Permanecí durante mucho tiempo como lavador de carros, un trabajo que me permitía codearme con los artistas de moda en esa época. Ahí volví a ver la mano de Dios en mi vida, porque lo que para otros hubiera sido un trabajo insignificante o indignante, para mí se convirtió en la oportunidad de conocer a las personas que en un futuro no muy lejano serían los canales que Dios utilizaría para que pudiera ascender en mi carrera y también mis colegas. Por eso, antes de llorar, quejarnos y preguntarnos ¿por qué a mí?, ante cualquier panorama gris que nos presente la vida, las primeras preguntas deberían ser, ¿qué me quiere enseñar este episodio? ¿Qué debo aprender para subir el próximo escalón? ¿Cuál es la bendición detrás de esta situación? Veremos cómo todo comienza a despejarse e iluminarse y el viento se tornará a nuestro favor.

En mi tiempo libre iba a *El Show del Mediodía* y otros programas de televisión en vivo donde permitían público. Creo, sin temor a equivocarme, que esa fue mi universidad, pues me permitió ver de cerca y aprender de los grandes de la época, como Freddy Beras Goico, Felipe Polanco, Cuquín Victoria, Cecilia García, Roberto Salcedo y Ramón Asencio. La mayoría aún viven y se mantienen vigentes, como también mi admiración por ellos.

Por casualidades de la vida y la intervención de Dios, tiempo después, tres de esas legendarias figuras de la comedia dominicana, como lo son Freddy Beras Goyco, Cuquín Victoria y Felipe Polanco, a quienes tanto admiraba e iba a ver en vivo como aspirante a comediante, nos otorgaron a mi compadre Miguel Céspedes y a mí el título de "Los nuevos reyes del humor", con el que aún hoy se nos reconoce lo que, por supuesto, significa para mí un gran honor.

Cuando acudía a esos programas olvidaba el hambre y los problemas; me olvidaba de todo. Disfrutaba cada momento; era como si

Dios me llevara de la mano y me estuviera preparando para lo grandioso, pero yo aún no me enteraba; nunca lo imaginé de la manera como ha ocurrido. Debo ser honesto, no puedo decir que lo planifiqué, ni que lo visualicé, lo único que sé es que cuando se pone toda la fe en Dios todo sucede y a mayor escala que como lo imaginamos. Mi trabajo era lavar carros. En ese momento, el único asenso que creí que me correspondía era el de presidente de un sindicato de lavadores de carros. Esa era mi manera de pensar, pero el plan de Dios era otro y Él no pide permiso ni avisa cuando va a bendecirte. Tú solo ves el impacto divino de Su gracia y Su bendición cuando al final del túnel surge esa luz que te dice: "Ha llegado un momento de ensanchamiento para tu vida". Como les dije al principio, lo más importante es aprender de cada situación porque estas son las que te forman. Cuando ya estés formado y listo, entonces, ahí viene la aprobación y el de repente de Dios a tu favor.

En Las Flores me crié, comiendo pan con café.
En la zona trabajé, porque me enseñó Rubí,
mi maestro de sastrería,
al mismo que le dije un día que esa vaina dejaría,
por hacer lo que hago hoy.

Fragmento 3
Trabalenguas de mi vida

Detrás de cada persona exitosa hay un pasado duro, difícil; hay lágrimas, sudor, rechazo, humillación, abnegación; hay que pagar un precio porque, como dice el dicho, a lo que nada nos cuesta, hagámosle fiesta.

INICIO DE
MI ASCENSO

Debemos tener siempre en la mente esa palabra que Dios expresó sobre nosotros, esa promesa. Aunque no se haya realizado lo que se nos dijo, hay que tener fe en que en algún momento, cuando ya estemos listos para recibirlo, eso llegará.

INICIO DE MI ASCENSO

En 1992 llegó a mi vida, de repente, lo que he denominado como "la gran oportunidad", que fue mi ingreso al popular programa *Caribe Show*, que se transmitía de lunes a viernes por Radio Televisión Dominicana, canal 4, hoy Corporación Estatal de Radio y Televisión (CERTV). Fue así como pasé de espectador a integrante del cuadro de comedias, gracias a Luis Cruciel, el jefe del equipo en aquel entonces.

Les aseguro que en ese momento ya me sentía exitoso, bendecido, porque había aprendido a verlo todo con forma de milagros y cuando visualizamos todo así, cada peldaño que subimos lo celebramos con agradecimiento, con alegría, pero sobre todo, con el compromiso de dar lo mejor para honrar ese canal que Dios utilizó para llevarnos hasta ahí.

No tenía un sueldo de lujo, porque, imagínense, éramos un grupo de comediantes jóvenes, pero ahí se me abrió esa gran oportunidad que, además, me ayudaba a seguir sustentando a los míos. La gran diferencia era y fue lo que me hizo ponerle todo el amor y la disciplina a este oficio, que en ese momento yo hacía lo que amaba llevando comida a mi casa. Es lo que se conoce en el argot popular como matar dos pájaros de un solo tiro. Seguían las precariedades, las limitaciones, sí, pero yo sabía que, a pesar de eso, no estaba en el mismo escalón y que si seguía desarrollándome esas bendiciones se multiplicarían, porque cuando practicamos la justicia en lo que hacemos, Dios nos respalda.

Lentamente, comenzaba a tener popularidad. Para entonces, algunas personas se me acercaban para felicitarme y expresarme que les gustaban mis personajes y mi actuación.

Comencé a hacer recorridos por los pueblos para presentar mis *shows*; mi vida estaba tomando un giro que me gustaba, porque cada día que pasaba se manifestaba más la profecía de mi madre. Ella dijo que yo era artista y se lo creí y esa profecía era la palanca que me impulsaba cuando llegaban esos momentos en los que uno entiende y siente que va hacia ningún lugar.

Aun en esas circunstancias, debemos tener siempre en la mente esa palabra que Dios expresó sobre nosotros, esa promesa. Aunque no se haya realizado lo que se nos dijo, hay que tener fe en que en algún momento, cuando ya estemos listos para recibirlo, eso llegará. Fiel a esa convicción, me mantenía firme, a pesar de las veces en que me sentía solo y desanimado.

Presentaba *shows* en los bares y clubes de diferentes pueblos. La gente me conocía y me manifestaba respeto y cariño desde mis inicios. Llegaba en transporte público porque no tenía vehículo propio. Regresaba de los campos y pueblos lejanos aproximadamente a las 2:00 de la madrugada a la capital y, como vivía en San Cristóbal y no tenía vehículo, me quedaba en los camerinos del canal para no faltar a mi trabajo al día siguiente, porque si me iba a dormir a mi pueblo, no llegaría a tiempo.

Me levantaba a una hora próxima al inicio del programa, como si nada hubiera pasado, como si no hubiera dormido ahí. Permanecí en ese proceso alrededor de un año. Nadie dijo que sería fácil, pero tampoco imposible, pues detrás del éxito de cada hombre o mujer hay un pasado duro, difícil; hay lágrimas, sudor, rechazo, humillación, abnegación; hay que pagar un precio porque, como dice el dicho, a lo que nada nos cuesta hagámosle fiesta, y por eso fue que el salmista David dijo en 2 de Samuel 24:24, parte B: "No daré sacrificio a Jehová que no me cueste nada". Si no cuesta no tiene valor, no tiene importancia, es insípido. En cambio, cuando pagamos un alto precio por algo lo cuidamos y le damos el valor que merece y cuando hablamos sobre eso que tanto nos costó, hasta la voz la subimos un poco para darle más connotación e importancia. Por eso hago tanto énfasis en que hay que aprender de cada problema, asumir con valentía cada proceso y prueba, porque estos le agregan valor a aquello por lo que luchamos.

La mano del creador me
sustentó durante toda mi vida.
Por eso, aun en el momento más
desagradable, pude tener paz
en medio de la tormenta.

MI ESPOSA, PIEZA CLAVE DE MI CRECIMIENTO

La ayuda de mi esposa fue una de las tantas maneras en que Dios me mostró que mi vida había sido depositada en la Tierra con un propósito suyo.

MI ESPOSA, PIEZA CLAVE

Dice un adagio que "detrás de cada gran hombre hay una gran mujer", pero difiero, porque entiendo que no es detrás, sino a su lado. Después de Dios, mi esposa, Mayra, ha sido vital para mí, mi familia y mi carrera, pues desde el día uno me ha apoyado sin condición alguna.

Nos conocimos siendo casi niños e iniciamos el noviazgo cuando ambos teníamos 14 años. Nos casamos a los 21, poco antes de que comenzara mi carrera de comediante con la participación en el concurso organizado por René Fiallo. Es mi amor eterno y puedo decir, sin ninguna duda, que ella ama al hombre, no al artista. Prueba de ello es que se casó con un sastre más desbaratado que la harina de trigo.

Mi esposa trabajaba en una zona franca durante 12 horas diarias, de 2:00 p. m. a 2:00 a. m. y era quien sostenía el hogar, un esfuerzo que siempre le agradeceré. Trabajó allí durante muchos años sin reclamarme por mi situación, sin menospreciarme por mi mala racha, por lo contrario, permaneció todo el tiempo apoyándome cuando más lo necesitaba. Incluso, no pudo ir a la universidad en la época en que quería porque tuvo que trabajar para ayudarme. Ella entró sus sueños y sus anhelos en una congeladora para concentrar todas sus

fuerzas y recursos en apoyar mi vida y mi carrera. La misma Biblia registra que quien encuentra esposa encuentra el bien y yo lo hallé por la buena esposa y compañera de vida que Dios me regaló.

Por eso, me llenó tanto de orgullo cuando, después de que mi carrera comenzó a ascender y la estabilidad económica se manifestó, pude ir a aquella congeladora, sacar los sueños de mi amada y esforzada esposa, descongelarlos y ponerlos en marcha. Entró a la universidad, terminó su carrera de Ingeniería Industrial y ha podido cumplir cada una de las metas que anhelaba alcanzar en la vida. Es que no anduvieran dos juntos si no estuvieran de acuerdo; no podemos ser egoístas, menos con nuestra compañera o compañero de vida, pues ellos también tienen sueños, metas; ellos también quieren realizar su tarea, sentir y confirmar que pueden hacer cosas. Por eso, si uno se sacrifica por el otro durante un tiempo, nuestro deber es agasajar con apoyo incondicional a nuestra ayuda idónea.

Dios es tan misericordioso y pone tanto cuidado en todos los asuntos de sus hijos que no nos permitió tener descendencia hasta los cuatro años de casados. Él sabía el amor que sentía y siento por la familia que me entregó, lo que me dolía no poder sustentar a mi amada esposa y mi casa, y que si tenía un hijo en aquel estado de miseria iba a ser mucho más difícil salir adelante.

La ayuda de mi esposa fue una de las tantas maneras en que Dios me mostró que mi vida había sido depositada en la Tierra con un propósito suyo, que Él iba a cuidar de todo lo mío aquí y que yo, con mis ojos, iba a ver su mano obrando en cada detalle, por más simple o difícil que pareciera.

Creo que una de las cosas que la gente admira y ama de mí es que siempre he sido la misma persona, sin poses, sin creerme la última botella de agua del desierto.

LA MAYOR
BENDICIÓN
DE MI VIDA

Con la llegada de mi angelito,
Dios me envió su impulso
divino. Ya aquel muchacho, el
sastre del barrio Las Flores,
de San Cristóbal, era el
orgullo de su sector, el que
salía en la televisión.

LA MAYOR BENDICIÓN

Convertirme en padre sin lugar a dudas cambió toda mi manera de ver la vida. Con la llegada de mi primera hija, Dios me hizo sentir cuán grande es el amor que siente por mí. A partir de entonces, me sentía más comprometido a seguir siendo mejor persona, mejor profesional, mejor esposo, porque ya no éramos dos, sino tres en la casa. Mi amada hija llegó en un momento en que todavía las guayabas estaban verdes. Había árboles, había frutos, pero estaban verdes, necesitaban un poco de tiempo para madurar y que se pudieran comer. Estas cosas suceden no porque Dios te odia o quiere castigarte por algo que hiciste, sino para que valoremos cada parte donde su mano milagrosa intercede por nosotros. El nacimiento de mi primogénita, Estrella Rachel, fue precioso, normal, sin ningún tipo de complicación quirúrgica, pero los bolsillos míos todavía en ese entonces estaban en estado crítico, en cuidados intensivos.

Mi esposa tenía un seguro médico, pero aún no acumulaba el tiempo requerido para cubrirle el parto. Nosotros no lo sabíamos y decidimos ir a una clínica. Para mí fue muy emocionante recibir la noticia del nacimiento de mi bebé, hermosa y saludable, pero el problema surgió cuando quise llevarme a mi esposa y a mi hija para la casa y me dijeron que el seguro no cubría el monto que debíamos pagar.

No teníamos dinero. Fue muy triste, doloroso y desconcertante para nosotros cuando el médico nos propuso: "Deja la niña aquí hasta que puedas pagar, pero mientras pasen más días, más grande será tu cuenta". Sé que usted se hace una idea de la impotencia que sentí en ese momento y la humillación por la burla de este doctor que, con la sangre muy fría y sin ningún tipo de anestesia, me dijo que dejara a mi niña en garantía o sea, el mejor regalo de mi vida, él lo consideraba algo material. Pero Dios nunca nos abandona y siempre tiene una respuesta o solución para nuestra situación. Una tía de mi esposa se convirtió en el ángel enviado del Señor y me prestó unas prendas para que las empeñara y así poder pagar la cuenta de la clínica y llevarme a mi amada familia a la casa. Sé que el médico recuerda bien este momento porque ese tipo de cosas no se olvidan y quizás sepa en quién me convertí después.

Estoy seguro de que él piensa que le guardo rencor por aquella situación, pero lo que no sabe es que uno no puede odiar a las personas, que Dios nos pone a prueba para premiarnos luego de que la pasemos. Doctor, dondequiera que usted esté, yo lo amo con el amor de Cristo, gracias, porque usted fue una de las manos que Dios usó para traer a mi hija a esta Tierra, lo bendigo dondequiera que usted esté en el nombre de Jesús.

Al poco tiempo del nacimiento de mi hija, comencé a tener más popularidad, más éxito, a obtener muchísimos logros. Con la llegada de mi angelito, Dios me envió su impulso divino. Ya aquel muchacho, el sastre del barrio Las Flores, de San Cristóbal, era el orgullo de su sector, el que salía en la televisión. Ya era reconocido entre mis compañeros y mis personajes estaban obteniendo mucha notoriedad y calando en el gusto popular. No faltaban las solicitudes de fotos y autógrafos en los lugares donde llegaba ni las palabras preciosas de personas que admiraban mi trabajo, pero aquella travesía por el dolor, la precariedad y el mal pasar, me había enseñado que, sin importar dónde llegara, no podía olvidar mi procedencia ni mucho menos ninguno de los valores que mis padres me habían inculcado. Creo que una de las cosas que la gente admira y ama de mi es que siempre he sido la misma persona, sin poses, sin creerme la última botella de agua del desierto. Tengo la percepción de que la gente ama y respeta más la humildad y la sencillez de un artista, que incluso su propio talento.

Hoy mi hija ya es toda una mujer, con una familia tan hermosa como la mía y que me ha dado otro privilegio que, créanme, lo estoy disfrutando como no se imaginan, me convirtió en abuelo. Desde el primer día Dios está conmigo y con cada uno de mis tres hijos; no tengo palabras para expresarle mi agradecimiento, por eso trato de ser mejor cada día para gloria y honra de su nombre.

Las bendiciones no pararon, Dios me envió otro gran regalo, mi segunda hija, Lucero Mariel (Lucerito), tal como dice su nombre, una verdadera luz en nuestra vida, desde el vientre de su madre.

Apegada a mí, amorosa, estudiosa, disciplinada, inteligente, con un carácter firme y una seguridad extraordinaria, así es ella. Solo Dios sabe cuánto la amo; ella me ha enseñado mucho y, al igual que por todos mis hijos, siento un orgullo muy grande de llevar el título de ser su padre. Hoy también ya goza de su familia y crece cada día como ser humano. Verla asumir su rol de vida de una manera tan responsable y sobria me da a entender que no lo he hecho nada mal como padre ante Dios, sea para Él toda la gloria, porque sin Él en mi corazón era imposible llevar a los míos por un buen camino.

> *Instruye al niño en sus caminos y cuando sea grande no se apartará de Él.*
> *Proverbios 22:6*

La multigracia de Dios nos hizo un regalo más, mi tercer y último hijo, Raymond Junior. Es el rey de la casa, aunque posee mi timidez. Es un hombre correcto y de bien, honrado, responsable y muy maduro, respetuoso y amoroso. Mi corazón palpita cada vez que lo veo y noto su actitud de valorarnos y no dejarse contagiar por las falsas ofertas del sistema. Me siento tan seguro de él porque al mirarlo me veo en mi juventud, con las mismas ganas de crecer y de no ser una vergüenza para los que lo amamos y lo apoyamos. Le doy tantas gracias a Dios por su vida y la de todos mis hijos porque son y serán siempre la mayor bendición que he recibido en este planeta.

Le doy gracias al Señor, por la esposa que me ha dado.
Mayra ha sido un regalo, una bendición de Dios.
Tres carajitos me dio: Raymond Junior, Estrellita y Lucerito.
Mayra, Estrellita y Lucerito, junto con Derlin y Cristina,
son las cinco mujeres que más amo esta vida.

Fragmento 4
trabalenguas de mi vida

¡Los amo!

Cree en el Señor Jesús;
así tú y tu familia
serán salvos.

Hechos 16:31

Tu descendencia será como el polvo de la
tierra, y te esparcirás hacia el occidente
y el oriente, hacia el norte y el sur. En ti
y en tu simiente serán bendecidas todas
las familias de la tierra.

Génesis 28:14

Nunca hagas nada para complacer a la manada ni al líder de la manada; si te dicen que para pertenecer debes hacer algo que sabes que te sacará de tu carril y que te destruirá en un futuro no muy lejano, entonces debes salir de la mejor manera posible y formar tu propia manada, pero sin contaminarte.

EL QUE SE DESENFOCA, PIERDE

Yo vencí, yo triunfé,
yo crecí, yo me hice
popular y no tuve que
aceptar ninguna de las
ofertas maliciosas que
me hizo el sistema.

Dios siempre ha mantenido el control y su mano sobre mí, sobre el conocimiento que él les puede dar a sus hijos, sobre su protección, sobre su amor. Imagínate en un medio como el artístico, que ofrece tantas tentaciones, todas las tentaciones y aun así, Dios protege a uno. Por Su gracia he logrado mantenerme íntegro y firme sobre mi convicción de que podía alcanzar lo que quería sin necesidad de dañar a un tercero y sin contaminarme con cosas que te dan placer momentáneo, pero que te destruyen la vida.

Me hace muy feliz confirmar que el tiempo me dio la razón y aunque en algún momento determinado lucí anticuado y fuera de moda, si hoy sigo en un proceso de crecimiento y gozando de buena salud, disfrutando de mi familia y del fruto de mi trabajo, es gracias a esos momentos en los que rechacé lo que entendí que no era bueno para mí, aunque me costara el repudio y el odio de muchos.

Mi humilde consejo

Quiero darte el siguiente consejo de vida: nunca hagas nada para complacer a la manada ni al líder de la manada; si te dicen que para pertenecer debes hacer algo que sabes que te sacará de tu carril y que te destruirá en un futuro no muy lejano, entonces debes salir de la mejor manera posible y formar tu propia manada, pero sin contaminarte.

Hay un montón de artistas en diversos renglones del arte perdidos en los vicios, con sus familias destruidas, con enfermedades, artistas a quienes se los han comido vivos, todo solo por querer complacer a la manada, por parecer los más *cool* y los que van a toda velocidad. Hoy pagan el precio de sus acciones.

Dice un adagio que más vale tarde que nunca, así que continúa íntegro y lleno de fe, no importa si no encajas por no querer parecerte al montón, sigue adelante, porque el tiempo, tu persistencia, tu talento y sobre todo, Dios, te darán la victoria. Yo vencí, yo triunfé, yo crecí, yo me hice popular y no tuve que aceptar ninguna de las ofertas maliciosas que me hizo el sistema. No soy más especial que tú, ni tengo más privilegios que tú, así que lo que quieras lograr lo lograrás porque tienes la capacidad y la disciplina para luchar por tus sueños.

> *Bienaventurado el varón que no anduvo en consejo de malos, ni estuvo en camino de pecadores, ni en silla de escarnecedores se ha sentado; sino que en la ley de Jehová está su delicia, y en su ley medita de día y de noche.*
> *Salmos 1: 1-2*

Bajo esos criterios fui manejando mi vida y mi carrera y entré con buen pie al nuevo milenio. En 2003 debuté como actor de cine, lo que significó otro logro trascendental en mi carrera artística. Hasta el momento en que escribo estas líneas mi filmografía suma 18 producciones, incluyendo un documental testimonial y una película autobiográfica. Como hijo de Dios, no podía faltar en ese listado una comedia con mensaje cristiano, porque todo canal es bueno para transmitir Su palabra.

Eran tiempos de mucho trabajo, éxitos, películas, viajes internacionales, giras, invitaciones a programas en el exterior, como *Sábado Gigante* y *Don Francisco presenta*, de la cadena Univisión, todo eso me hizo muy popular y querido en la República Dominicana, Estados Unidos y otros países.

No es fácil recibir la noticia
de que alguien que amas con
todo tu corazón ha dejado este
mundo y tú no has estado ahí.

CUANDO
EL AVIÓN
VA EN PICADA

Lo que se ama nunca muere y sé que mi madre aún vive dentro de mí y en cada uno de mis hermanos, en cada una de las tantas buenas enseñanzas con las que impactó nuestras vidas.

CUANDO EL AVIÓN VA EN PICADA

La vida es un sube y baja en lo que a mi criterio se refiere. Podemos estar sumergidos en la tristeza más grande y de repente puede suceder algo que te devuelve la alegría y viceversa. Hay sucesos que te desploman la vida, que te destrozan el corazón; hay momentos inolvidables, pérdidas irreparables. Jesús lloró, dice la Biblia en su versículo más corto, Juan 11:35. Lloró al enterarse de la muerte de un ser que amaba, llamado Lázaro, un hombre que, al cuarto día de su muerte él resucitaría, pero aun así lloró, porque no es fácil recibir la noticia de que alguien que amas con todo tu corazón ha dejado este mundo y tú no has estado ahí. Uno entiende que si hubiera estado presente habría hecho algo para salvar la vida de ese ser querido y tal vez su partida se hubiera podido evitar. Casi siempre nos culpamos, pero eso es producto del impacto de la noticia y del dolor que nos embarga por la pérdida.

En 2004, mientras estaba en medio de una grabación, se produjo uno de los acontecimientos más amargos de mi vida, la muerte de mi madre, una pérdida que marcó mi vida. No era para menos, pues mi madre representaba todo para mí. Ella me contagió con su fe en Dios, siempre me apoyó y estuvo conmigo; me amó con todo su corazón y me lo demostró en cada uno de los días en que me tocó vivir a su lado, que fueron los mejores de mi existencia.

La noticia me removió, no tanto por su desaparición física, porque en mi familia lo que se ama nunca muere y sé que mi madre aún vive dentro de mí y en cada uno de mis hermanos, en cada una de las tantas buenas enseñanzas con las que impactó nuestras vidas, sino también porque cambió mi manera de ver las cosas de ahí en adelante.

Tenía en agenda una gira por Europa, un compromiso irrevocable, en primer lugar, por mi palabra, pues siempre he creído que el valor del hombre se lo da cada palabra que sale de su boca; en segundo, porque había un contrato de trabajo; en tercero, porque ya el público en europa esperaba con los brazos abiertos para disfrutar de sus artistas, y en cuarto, porque la promoción estaba en todas partes. No podía faltar, porque si lo hacía vendrían las demandas y la destrucción del artista, porque al final, negocios son negocios y si fallaba, los promotores e inversionistas no iban a pensar en mi dolor, sino en el dinero que ellos perderían y en todo lo que se les caería en caso de que yo me ausentara, algo que no me podía permitir.

Llegó el momento de irme a Europa, tres días después de haber muerto mi madre. Hablé con mis hermanos, con mi familia, con mi esposa y les manifesté lo que ocurría. Ellos comprendieron la situación, sabían que, como hijo, cumplí con todo cuanto pude, que debía honrar también aquel compromiso porque era parte de las responsabilidades. Todavía no salía del impacto, ni siquiera había llorado a mi amada madre lo suficiente y tuve que montarme en un avión con mi dolor al rojo vivo, con el alma rota. Sin lugar a dudas, fue el viaje más largo y tedioso de toda mi vida; no hay palabras para confortar ese momento; no hay abrazo que consuele tal sufrimiento, solo le pedía fortaleza a Dios, aunque todavía no se producía ese encuentro tan hermoso con mi Jesús, que te aseguro que si lo hubiese tenido antes del fallecimiento de mi madre, el dolor iba a ser igual, pero la consolación de Jehová me habría sustentado.

Nunca en mi vida había recorrido un trayecto tan largo y tan incómodo como el de esos aeropuertos, con un dolor tan intenso, con admiradores pidiéndome fotos y autógrafos, teniendo que complacerlos sin que muchos supieran que por dentro estaba destrozado.

Recuerdo como ahora que la primera presentación de esa gira fue en Madrid. Se trató de un momento muy especial porque la sala de espectáculos estaba llena de gente que fue a disfrutar el *show*. Subí al escenario con toda la normalidad; presenté mi *show* y, como profesional que soy, di lo mejor de mí, saqué de donde no tenía para que el público disfrutara. Sin embargo, tocado por las palabras de mi Señor cuando dijo, como consejo: "Hay que llorar con el que llora", tan pronto terminó el espectáculo y me fui a los camerinos empecé a llorar. Todavía no creía lo que me había pasado, no lo aceptaba, anhelaba que la muerte de mi madre fuera un sueño, despertar y saber que ella continuaba conmigo, pero sabía que no era así y eso me desconsolaba. Un rato después, gente del público fue a darme el pésame, porque antes que artistas somos seres humanos que padecemos lo mismo que todos y eso los demás lo entienden. Esos admiradores fueron y se unieron a mí en tan grande y fatal dolor.

Aun estando yo en tarima, los presentes sabían el dolor que me embargaba, pero no me lo hicieron sentir, no me recordaron mi situación para que yo pudiese cumplir con la presentación a cabalidad.

Definitivamente, las manos de Dios siempre han estado ahí, siempre me han protegido aun sin yo saberlo, porque no era cristiano en ese entonces, pero sí sabía y tenía la convicción de su presencia, ya que todo, como de costumbre, se lo había pedido a Él.

También ustedes ahora están tristes,
pero yo los volveré a ver, y tendrán una
alegría que nadie les podrá quitar.

Génesis 28:14

No soy un humorista
cristiano, sino un cristiano que
hace humor, pero sobre todo,
un evangelista del Señor.

ABNEGACIÓN Y CONVERSIÓN

Considero que la prédica más
creíble es tu propia vida,
porque quizás esta sea la única
Biblia que mucha gente leerá.

ABNEGACIÓN Y CONVERSIÓN

Terminó la gira por Europa y todo siguió aparentemente normal; continuaron los éxitos, pero mi corazón seguía destrozado. Estuve hundido en el pozo de la depresión durante dos años por la muerte de mi madre. Como soy del campo, creo que a los parientes hay que guardarles el luto necesario. Hasta me sentía culpable por salir a hacer chistes cuando mi madre acababa de morirse.

Nada me hacía feliz, por más éxitos que alcanzara, por más películas que filmara, por más canciones que grabara, nada podía compensar ese dolor, era como si mi mundo se hubiera quedado congelado en aquel momento. Las emociones positivas estaban en cero; ya no le veía tanta gracia a la vida.

Cuando uno no tiene a Dios, siente que el mundo se desmorona cuando sufre una pérdida. Pero, si bien es fuerte y doloroso, debemos entender que la muerte es parte de la vida y que esta es un rato prestado para que dejemos una huella en este planeta tan hermoso llamado Tierra. Conocer a Dios te cambia el panorama de vida completo, porque ya no es uno, sino Cristo en nosotros, moldeándonos, procesándonos, purificándonos para llegar a la estatura que requiere, conforme el propósito que Él tiene para nuestra existencia.

Recuerdo que mi esposa, quien sí era cristiana desde niña, me decía: "Vamos a la iglesia", y yo le respondía: "¿Me dices que en una iglesia puedo encontrar algo que elimine este dolor? Eso es imposible, no puede ser". Me expresaba de esa manera porque los humanos solemos creer que nada es más grande que los eventos desastrosos que nos han ocurrido. Mientras estaba en medio del duelo por la pérdida de mi madre, nunca fui a la iglesia, nunca acompañé a mi esposa porque, en mi opinión, ese era el último lugar donde encontraría paz en esos momentos de intenso sufrimiento. Estaba equivocado, luego me convencí de que buscar y, sobre todo, encontrar a Dios es maravilloso.

Poco tiempo después murió mi suegro, entonces, comencé a recordar la petición de mi esposa de que asistiéramos a la iglesia durante mi proceso de dolor. Ella estaba segura de que Dios pasaría su mano y nos ayudaría a ambos a superar la tristeza. Para complacerla, acepté ir a la iglesia.

Cuando fuimos, ocurrió algo que nunca había sucedido en esa iglesia ni ha vuelto a pasar. Los pastores estaban recibiendo a los nuevos creyentes y visitantes. Quizás haya gente que diga que eso es normal, pero también puede que hubiera un plan de Dios de por medio.

Entramos a la iglesia y desde entonces todo ocurrió acorde con el plan para que yo me postrara ante los pies de mi Señor Jesucristo. Todo ha sido bajo Su gracia, todo ha sido bajo Su amor y Su misericordia. Siempre he hecho mi trabajo con la convicción de que el talento que Dios te da tienes que formarlo, porque el que no puede ser cristiano donde trabaja, no podrá serlo en ninguna parte.

En la iglesia en la que me congrego está mi pastor, mi apóstol, Fernando Ortiz, un hombre al que amo en el nombre de Jesucristo, por todo su aprecio y por todas sus enseñanzas. Nunca lo he visto predispuesto hacia mi persona por mi trabajo, porque él, como la sociedad, reconoce que soy un hombre de fe, que profesa el amor de mi Señor Jesucristo. Dios me ha respaldado en todo.

Creo fervientemente que todo lo que he experimentado, mi carrera, mis tropiezos, mis enseñanzas y todo lo que he vivido, bueno o malo, hasta ahora, ha sido para llevarme a esta estatura y para formarme en el ministerio de Cristo, para que pudiera ser un portavoz de la gracia y la misericordia de DIOS. Humanamente hablando, parece imposible haber nacido donde yo nací y estar donde estoy, pero cuando venimos resguardados por un propósito eterno, no importa en el lugar donde caigamos, vamos a sobresalir, porque antes de la fundación del mundo ya Dios lo había determinado. Para este momento nací, para este tiempo fui preparado y por eso creo plenamente que no soy un humorista cristiano, sino un cristiano que hace humor, pero sobre todo, un evangelista del señor.

A veces, en las entrevistas me preguntan si aspiro a ser pastor, pero yo solo quiero ser el más simple de los soldados del ejército de Dios, vivir para servirle y para eso no necesito esa posición. Considero que la prédica más creíble es tu propia vida, porque quizás esta sea la única Biblia que mucha gente leerá.

Recibo muchas críticas de los religiosos, de gente cree que debes dejar de hacer lo que haces para seguir a Dios, pero la Biblia no ha puesto a ningún hombre a seguir a Dios, es Él quien te elige. El cristiano neto sabe que el Raymond Pozo artista interpreta un papel, que cultivo un talento que Dios me dio. Lo que sucede es que la religiosidad tiene secuestrada la fe desde hace mucho; no admite que nosotros, las figuras públicas, también seamos cristianos y salgamos a la calle a la predicar.

Todo lo que he mencionado, es mi Dios que me lo ha dado,
y yo digo en tono sano, para cumplirlo por siempre.
Si hubiera reencarnación, vuelvo hacer familia Pozo.
Seré el padre de mis hijos, hijo de Pedro y Cristina,
y juro ante toda mi gente, que si vengo del más allá,
volveré a ser Sancristobalence.

Fragmento 5
Trabalenguas de mi vida

Vamos por la vida como un niño con tableta, para que no estorbe, en medio de un juego de bingo entre madres, y cuando a la tableta se le acaba la carga comienza a llorar porque siente que también ha colapsado su existencia.

BENDITO SEA EL PROCESO

Debemos entender de una vez y por todas que necesitamos tomar la rienda de la vida que Dios nos entregó y ponerla a sus pies para que Él cumpla su propósito.

BENDITO SEA EL PROCESO

Bendito sea aquello que me impactó, pero no me dolió, bendito sea lo que me decepcionó, pero no hundió, bendito lo que me hundió, pero no me mató y bendito lo que me mató para hacerme resucitar juntamente con Cristo y poder vivir de victoria en victoria.

Nos han vendido e inculcado tantas mentiras, tantas ideas erróneas que han hecho que nos perdamos por más tiempo en el laberinto de nuestra identidad como seres humanos. Todos vivimos en piloto automático y aunque sabemos que es mentira, queremos creer que estamos hechos para vivir en un éxtasis utópico donde cuando pasa algo que me confronta, que me reta, que necesita más de mi atención, que requiere que piense de una manera diferente, cuando acontece algo que toca nuestras fibras sentimentales, cuando nos duele, cuando nos decepcionan, lo vemos como una desgracia, como el final, muchas veces; como mala suerte o como si Dios se hubiera olvidado de nosotros. Esa manera de pensar es absurda, porque no hay forma de que Dios se olvide de sus hijos, pero nuestra domesticación es tan fuerte que vamos por la vida como un niño con tableta, para que no estorbe, en medio de un juego de bingo entre madres, y cuando a la tableta se le acaba la carga comienza a llorar porque siente que también ha colapsado su existencia.

Hay poder, hay grandeza, hay honra, hay respeto, hay gratitud en el proceso. Vamos a definir este concepto para que entendamos bien la gran enseñanza de este capítulo y que puede transformar tu vida para siempre y darle un salto impresionante del 1 al 80 en una escala de 100.

Proceso

Definiciones de la Real Academia Española:

1. Acción de ir hacia adelante
2. Transcurso del tiempo
3. Conjunto de las fases sucesivas de un fenómeno natural o de una operación artificial.

Definiciones de Oxford Languages and Google:

1. Conjunto de fases sucesivas de un fenómeno o hecho complejo.
2. Procesamiento o conjunto de operaciones a que se somete una cosa para elaborarla o transformarla.

Creo que ya no debo agregar nada, que se entendió perfectamente y que de ahora en adelante comenzarás a ver el proceso como lo que es, una bendición, una oportunidad de cambio, una transición, un nivel más alto que aquel en el que te puedes encontrar.

Podemos ver muchísimos ejemplos de personas resilientes que hicieron con sus limones limonadas y hoy se refrescan con su jugo de bendición, que salió de una frustración, que salió de un dolor. La vida no es injusta, Dios, El Creador, mucho menos, pero hay algo que necesitas saber y que es matemática: una acción trae una reacción.

Si tú acción es negativa, no esperes una reacción positiva, es como sembrar tomates y querer cosechar manzanas. Debemos entender de una vez y por todas que necesitamos tomar la rienda de la vida que Dios nos entregó y ponerla a sus pies para que Él cumpla su propósito y dejar de ver cada prueba como parte de una maldición y los procesos como un castigo. Son ellos los que nos forman, los que sacan la mejor versión de nosotros, los que nos elevan y nos hacen llegar más lejos de lo que jamás imaginábamos. Vamos a pararnos delante de cada circunstancia que la vida nos ponga al frente y, en vez de llorar, de rendirnos y culpar a otros por lo sucedió, digamos, OK, qué es lo que debo aprender de esta situación, cuál es el propósito de lo que me acontece y verás cómo vas sintiendo que la carga se hace más liviana. Bendito sea el proceso que nos trajo hasta esta estatura, bendigo al creador por darnos las fuerzas para soportar cada prueba y salir victorioso en su nombre.

Siento que Miguel Céspedes
y yo firmamos un acuerdo no
escrito que estableció que nos
íbamos a amar como hermanos y a
respetar tal cual somos, que nos
toleraríamos e íbamos a luchar
juntos hasta llegar lo más lejos
que Dios nos permitiera.

MIGUEL CÉSPEDES, UN REGALO DE DIOS

Como compañeros de trabajo hemos vivido muchísimas situaciones juntos, unas muy buenas y otras no tanto, pero de todas hemos aprendido. Acumulamos tantas anécdotas juntos que este libro no alcanzaría para contarlas todas...

MIGUEL CÉSPEDES

En 1992 conocí en *Caribe show* a un ser humano extraordinario llamado Miguel Céspedes, uno de los integrantes del cuadro de comedias, que ya gozaba de mucha popularidad, hasta el punto de que hasta le pedí un autógrafo. No imaginaba entonces que con el transcurso del tiempo se convertiría en mi amigo, mi socio, mi compadre, mi confidente, mi hermano en Cristo, mi compañero artístico y una de mis principales fuentes de apoyo.

Fue gracias a su insistencia que se me dio la oportunidad de pertenecer al citado cuadro de comedias, lo que marcó el despunte de mi carrera artística. Desde que nos conocimos me brindó apoyo incondicional, cariño, admiración y respeto. Ahí nació una hermandad que se mantiene hasta hoy, cuando somos el dúo de humor más longevo de la historia dominicana.

Hasta este momento, hemos producido cuatro programas de televisión y uno de radio, entre ellos *El Show de Raymond y Miguel*, un proyecto que ya acumula más de 20 años ocupando los primeros lugares, tanto en facturación como en aceptación.

Esta parte del libro es un reto, porque hablar de este ser humano encierra 30 años de mi vida, es decir, más de la mitad de ella, junto a un hombre que para mí es, conforme al corazón de Dios, alguien que amo, respeto y admiro, y que ha sido una bendición para mi vida de una manera muy especial.

Miguel Céspedes no simplemente ha sido un compañero de trabajo; ha sido un hermano. Todos lo saben, mi familia, mis amigos, que él es un hermano más. Como he dicho, cuando quise entrar a la televisión ya él era famoso, porque, aquí "entre nosotros", es mucho más viejo que yo, no solo en el arte, también en edad. Es un amigo con quien comparto el mismo sentir, la misma proyección, las mismas necesidades. Todo coincide entre nosotros y el pueblo nos ha hecho suyos a través de nuestro trabajo.

Siento que Miguel Céspedes y yo firmamos un acuerdo no escrito que estableció que nos íbamos a amar como hermanos y a respetar tal cual somos, que nos toleraríamos e íbamos a luchar juntos hasta llegar lo más lejos que Dios nos permitiera.

Hoy, no hay un lugar donde yo llegue en el que no me pregunten por él y viceversa, pues ya no nos asimilan separados, porque nuestra relación la hemos puesto a la luz de todo el

Personajes:
Padre Rogelio y Tirson

mundo y aunque, como sucede en todas, a veces hay diferencias, nuestro amor y respeto han sido más grandes que cualquiera de ellas o de cualquier dificultad que nos asedie.

Ese hombre llamado Miguel Céspedes ha sido una de las bendiciones más grandes que Dios me ha regalado y por eso lo amo con toda mi alma, lo admiro y lo respeto tanto, porque ha sabido ser para mí todo lo que les he mencionado. Muy pocos merecen llevar la palabra amigo, dice una canción, pero este hombre sí lo merece y me llena de orgullo saber que lo somos.

Hemos formado nuestra empresa y nuestro trabajo. De nosotros dependen muchas personas y hoy también, bajo la gracia de nuestro Padre Celestial, Miguel y su familia, al igual que la mía, le servimos a Él.

Como compañeros de trabajo hemos vivido muchísimas situaciones juntos, unas muy buenas y otras no tanto, pero de todas hemos aprendido. Acumulamos tantas anécdotas juntos que este libro no alcanzaría para contarlas todas, pero quiero relatar una en específico, porque emocionalmente abarca todas las facetas, y sobre todo, porque muestra que Dios, una vez más, mostró Su misericordia y amor hacia nosotros.

En una ocasión mi compadre Miguel y yo nos fuimos de gira por Europa. Estábamos en Madrid, nos contrataron para ir a Italia, y al otro día del *show* nos íbamos para Suiza. Llegamos de Madrid a Italia en un tren y nos recogió la persona que nos contrató, que no conocíamos físicamente. Con mucha amabilidad, nos llevó a un hotel, dejamos las maletas e inmediatamente nos fuimos para la actividad.

El *show* terminó y jamás volvimos a ver a la persona que nos contrató. Desapareció, nos abandonó y ni siquiera sabíamos el nombre del hotel donde habíamos dejado las maletas horas antes. Luego, alguien nos llevó al hotel donde se suponía que llevaban a todos los artistas dominicanos y, efectivamente, ese era. Sacamos nuestras maletas y nos fuimos a esperar el amanecer en la estación del tren, que al día siguiente nos llevaría a Suiza.

No estábamos tristes, lo admito; lo tomamos como un relajo, como un chiste. Mientras esperábamos la hora, pasaron muchos policías mirándonos con recelo, ya que la estación estaba casi vacía porque aún no había salida de trenes programadas.

Luego, un dominicano nos reconoció y se nos acercó. Había salido a dar un paseo porque su esposa lo echó de la casa. Cuando nos vio se sintió tan alegre de encontrarnos que nos abrazó y empezamos a conversar.

Le explicamos lo que nos pasó y él también nos contó su situación. Nos dijo que la única manera de que se pudiera reconciliar con su esposa era si nos llevaba a su casa, si nos íbamos con él, porque ella era fanática de nosotros. Así sucedió; fuimos a su casa y cuando llegamos, esa mujer no creía lo que sus ojos veían y nos recibió de mil amores. Se enteró de lo que nos había pasado. Nos prepararon cena y entre conversación y conversación, el hombre aprovechó para pedir perdón y buscar la reconciliación con su mujer y, ¿saben qué?, lo logró. Estaban felices. Nosotros amanecimos en esa casa y en la mañana siguiente el hombre nos llevó a la estación del tren a la hora exacta en que debíamos salir. Pudimos llegar a tiempo a Suiza y cumplir con nuestro compromiso y aquel hombre pudo volver a su casa con su familia.

Es que muchas veces lo que parece ser una pérdida es una tremenda bendición. No fuimos a Italia a hacer un *show*, fuimos a restaurar una familia; no fuimos a Italia a trabajar para nosotros, fuimos a trabajar para Dios, a pesar de que en ese entonces no lo sabíamos.

Transcurrido un tiempo nos comunicamos con el hombre y todo seguía súper bien con su esposa y con su vida. Nos alegró bastante saberlo. Hemos aprendido que muchas veces se gana y otras se pierde, pero siempre y cuando esa pérdida sea material, no importa, porque se recupera, lo que nunca debemos perder es la fe en nuestro DIOS y en nuestros amigos, porque cuando uno de ellos viene de Dios es para siempre y soy testigo de eso.

> *En todo tiempo ama al amigo y es como un hermano en tiempos de angustia.*
> *Proverbios 17:17*

El artista lo es porque así
nace, porque Dios puso gracia
en él; muere siendo artista.

¿QUIÉN TE DESCALIFICÓ?

Hoy puedo contar con humor todas mis precariedades y no me duele, porque lo asumo como una gran enseñanza de mi Padre Celestial.

¿QUIÉN TE DESCALIFICÓ?

Cualquiera pensaría que todos los momentos en la vida de un artista son color de rosa, pero no, hay muchas espinas de por medio. Hay momentos en los que uno sufre, llora, se deprime, dice que no vuelve a hacer esto, dice que va a abandonarlo todo, que buscará otro tipo de trabajo, pero el arte es una adicción. El artista lo es porque así nace, porque Dios puso gracia en él; muere siendo artista.

He atravesado por muchos momentos difíciles; hubo algunos en los que todos mis compañeros eran mucho más populares y famosos que yo, en los que poca gente me conocía.

En una de esas etapas de mi carrera participé en una gira en Miami para presentar un *show* en conjunto con otros compañeros más famosos que figuraban en el afiche promocional. Después de sus nombres aparecía la coletilla "y otros". Yo era ese "otros".

El empresario de Miami solo me contrató por recomendación de un amigo de República Dominicana. Cuando llegué, me dijo: "Si quieres, tómate esto como un paseo y no subas al escenario, porque a ti no te conocen ni te están esperando". Le respondí con toda humildad: "Sí, pero si usted quiere, déjeme salir de primero, para hacer unos diez minutos de *show* y después bajo".

¡Qué sorpresa se llevó el empresario! Cuando subí a esa tarima al público ya no le interesaba ver a mis compañeros. No querían que yo bajara, porque tal vez en Miami no me conocía nadie, pero en mi país yo era muy popular debido a los trabalenguas. Cuando expresé mis mejores trabalenguas, el público inmediatamente conectó con mi trabajo y una vez más se vio la gracia de Dios en mi carrera. Se confirmó que Jehová es mi aliento y mi sustento.

A pesar de todo, sentía en mi interior que para mí había algo más que no era lo que estaba viviendo, aunque no podía describirlo. Hoy, como hombre cristiano, puedo darme cuenta de que era la misericordia de Dios la que me estaba hablando, rodeando y formando.

Dentro de esas grandes necesidades, Dios estaba formando el artista que hoy hay en mí, como también la materia prima, el humor. Hoy puedo contar todas mis precariedades con este ingrediente y no me duele, porque lo asumo como una gran enseñanza de mi Padre Celestial en medio de esas necesidades, para que cuando viniera la bonanza no se me fueran los humos a la cabeza y siempre tuviera pendiente de donde vengo.

Pese a los momentos difíciles, duros y crueles, de las debilidades, de los éxitos, de los fracasos, de las altas y bajas, Dios siempre ha estado conmigo.

> *Durante todos los días de tu vida, nadie será capaz de enfrentarse a ti. Así como estuve con Moisés, también estaré contigo. No te dejaré ni te abandonaré.*
>
> *Josué 1:5*

Y ahora te pregunto a ti, ¿quién te subestimó?

Muchas veces caminamos por la vida recordando el pasado y aquellas oportunidades que anhelábamos y que "nunca" llegaron, llenos de rencores hacia personas que no nos extendieron la mano cuando lo necesitamos, por aquel a quien le hicimos un favor y no nos lo pagó; amontonamos tareas pendientes detrás del "no tengo suerte", "me bloquearon", "yo soy la Chu", "a mí nada se me da", etcétera... pero si nos detenemos un momento a pensar de quién es la absoluta responsabilidad de lo que está ocurriendo hoy en nuestra vida, sea bueno o sea malo, nos daremos cuenta de que está en nosotros y solo en nosotros, porque nadie nos bloquea, lo hacemos nosotros mismos cuando le damos importancia a lo que alguien dijo sobre nuestra persona.

Personaje: El cabo Azulado

Nadie nos descalifica, nosotros nos descalificamos, cuando sucumbimos ante la primera caída de nuestro proyecto, cuando le damos más importancia al qué dirán que al qué dirá mi Dios de esto o de aquello, nos descalificamos cuando fallamos y le pedimos perdón y Él nos perdona, pero no nos perdonamos a nosotros mismos y vamos por la vida con una maleta llena de asuntos por arreglar, con deudas que ya están saldadas, pero a las que nosotros les seguimos corriendo porque no nos hemos dado cuenta de que alguien pagó por nosotros.

Es momento de que te pongas frente a un espejo, te veas y notes que eres más grande que tu circunstancia, que no hay nada en este mundo que te propongas con fe, disciplina y ahínco que no se cumpla, que a ti nadie te descalificó, que tú fuiste quien salió de la carrera, que a ti nadie te maldijo, sino que tú fuiste quien le dio vida a esa palabra de maldición que se dijo sobre ti cuando le prestaste atención y la creíste, que en ti está el poder de cambiar tu situación ahora, porque la riqueza es integral y comienza de adentro hacia afuera, no como nos la enseñaron, de afuera hacia dentro.

Por eso vemos personas que solo tienen dinero y cosas materiales, pero no pueden vivir a plenitud porque no edificaron casa

Personaje: Efraín

108

de paz dentro de su proceso interno. Te invito a cambiar la manera en la que hablas de ti, de tu entorno, de tu país, de tu familia, de todo aquello que percibes que no marcha bien. Comienza a hablar a favor y verás cómo tus propias palabras van cambiando el panorama y comienzas a sentir esa paz que sobrepasa todo entendimiento y llegará la aceptación, volverán el amor, el respeto, la grandeza y te volverás a sentir calificado para todo cuanto quieras.

Si haces dinero porque quieres
ver a los tuyos bien, porque
quieres ayudar de corazón y
sin fanfarronear por todo lo
que aportas, si quieres posición
para que tu paso por la vida
sea sustancioso y productivo,
entonces tu motor es el amor.

EL DINERO
COMO UN MEDIO,
NO COMO UN FIN

Oración:
Dios, cuida mi corazón de toda
vanidad, de todo improperio,
de toda vanagloria, hazme
un hombre recto.

RP

EL DINERO COMO UN MEDIO...

Comenzaré este capítulo con uno de los episodios de mi vida en los que más he tenido que agradecerle a Dios la manera en la que operó. Estando ya en la cúspide de nuestra carrera, Miguel y yo recibimos una oferta envidiada por cualquier artista del renglón. Consistía en trabajar en el programa de humor número uno de la radio de Nueva York, lo que significaba buena posición y mucho dinero. Sin embargo, había algo que no combinaba con mi condición de cristiano y era que en el programa se utilizaba un lenguaje muy vulgar. Aun así, Dios me tomó de la mano. Desde el primer día les pedí a los participantes del programa que antes de comenzar a transmitir me permitieran orar y ellos gustosamente aceptaron. Una semana después, el público me llamaba pidiéndome la oración. A las dos semanas llegó a la cabina un memorándum de parte de la administración de la emisora que prohibía las malas palabras en el programa. Los demás integrantes me respetaban y honraban; el público me escuchaba como una voz orientadora. Sin embargo, solo duramos dos meses. Nunca me pagaron ni un centavo de la suma que establecía el contrato y jamás supe las causas.

Hoy, gracias a una mayor madurez espiritual entiendo que Dios me envió para mostrar su presencia en ese lugar porque, como dice la palabra, donde abunda la desgracia, sobreabunda Su gracia. No siempre serás gratificado por tu trabajo con dinero o cosas materiales, otra veces el pago vendrá en prendas más valiosas, en cantidades más cuantiosas. No me dieron dinero, pero a través de la oración hubo restauración en personas, la fe de muchos creció, hubo cambios importantes dentro del contenido que ese programa llevaba al público y yo obtuve el mayor beneficio, porque cuando es Dios quien paga es muchísimo mejor el resultado. No quiero decir con esto que el dinero es malo o que el que tiene dinero es del diablo, no, de ninguna manera, el problema nunca ha estado en el dinero, sino en el amor al dinero.

Nunca ha sido malo tener dinero, el problema radica en la motivación que te mueve a hacer dinero, y esa es la pregunta que debemos hacernos y el dilema por resolver, ¿cuál es el motor que nos mueve a hacer dinero? Hay una frase muy famosa contenida en el libro El príncipe, de Nicolás Maquiavelo: el fin justifica los medios. Muchas veces nos agarramos de esa frase para hacer de todo por conseguir dinero o alcanzar aquella posición que tanto hemos soñado. Es muy común ver personas con muchos bienes materiales, pero vacíos, sin identidad, depresivos, ansiosos y solos. Es que el motor que nos mueve a hacer dinero es el que crece a través del tiempo.

Si lo que te mueve a hacer dinero es demostrar a los que te subestimaron que tú puedes, entonces estás haciendo dinero desde el motor del resentimiento. Si haces dinero con el fin de ser más grande que los que te rodean y poder enseñorearte sobre ellos, entonces tu motor es el odio. Si haces dinero porque quieres ser el que más tiene, más puede y más derrocha, entonces tu motor es la avaricia. Si haces dinero porque quieres ver a los tuyos bien, porque quieres ayudar de corazón y sin fanfarronear por todo lo que aportas, si quieres posición para que tu paso por la vida sea sustancioso y productivo, entonces tu motor es el amor. No es el dinero lo que es malo, sino la intención del corazón. Por eso es tan certera aquella frase que dice: "si quieres saber verdaderamente quién es una persona, entonces dale poder", porque el dinero te desenmascara, seas una persona de bien o de mal; el dinero agudiza absolutamente todo. Con dinero, el que es malo se vuelve más malo; el que tiene un vicio lo refuerza; el que tiene maldad, pues la explota a su máxima expresión, pero también, el que es bueno se vuelve más bondadoso, más dadivoso. El dinero te da poder terrenal y este se usa desde el corazón, y si hay un problema allí, todo se ve afectado, así como cuando hay buena voluntad en él todo resulta impactado. Por eso en nuestras oraciones y plegarias no puede faltar esta petición: Dios, cuida mi corazón de toda vanidad, de todo improperio, de toda vanagloria, hazme un hombre recto. Cuando materializamos esa oración en nosotros, no importan el dinero, la fortuna, la fama y la posición que obtengamos, seremos gente de bien y gente de soluciones, no de problemas.

Debemos cuidar el corazón siempre y saber que el dinero no puede ser nuestro punto final, porque si lo trazamos como meta, cuando lo consigamos y veamos que esa no era la solución, pues el impacto en nuestra vida será garrafal. Hay una frase que se le atribuye a Jim Carrey, el famosísimo humorista y actor estadounidense que conocemos y es la siguiente: "Espero que todos puedan volverse ricos y famosos, y tener todo lo que soñaron para que se den cuenta de que esa no era la respuesta".

Creo que esta frase responderá todas tus preguntas, porque lo dice alguien que no hay nada en este planeta que no pueda comprar o tener, alguien que ha experimentado la fama y la popularidad en su más alta expresión, alguien verdaderamente exitoso y te está diciendo que el dinero y la fama no son la respuesta. Es que, si bien el dinero es un medio con el cual podemos adquirir cosas materiales, está muy lejos de darte lo que realmente necesitas, como te lo expliqué en líneas pasadas.

La vida está más relacionada con despertar y darnos cuenta de quiénes somos realmente, de dónde venimos, a qué venimos, cuál es mi propósito, cuál es mi origen. Con eso tiene que ver la vida, con abrir los ojos a la verdadera felicidad. Te dije que el dinero no puede comprar lo intangible; no puede comprar amor, paz, compañía que te alegre sinceramente el alma; no puede comprar felicidad, salvación, salud, seguridad; no se puede comprar nada de eso con dinero. Por esa razón debes verlo como un medio, no puedes arriesgar todo con lo que pisaste esta tierra y que viene contigo por dinero, porque luego lo tendrás, pero no podrás hacer nada con él, ya que habrás perdido todo lo intangible por cosas perecederas. Progresa, crece, prepárate, pero sobre todo, guarda tu corazón, pues dé él emana la vida.

En todo os he enseñado que, trabajando así, se debe ayudar a los necesitados, y recordar las palabras del Señor Jesús, que dijo: Más bienaventurado es dar que recibir.

Hechos 20:35

LO DE DIOS
SE COMPARTE

Vosotros sois la luz del mundo;
una ciudad asentada sobre un
monte no se puede esconder.

Ni se enciende una luz y se pone
debajo de un almud, sino sobre el
candelero, y alumbra a todos los
que están en casa.

Mateo 5: 14 y 15

LO DE DIOS SE COMPARTE

Estos dos versículos tienen mucha más relación de la que usted se puede imaginar. Por eso, antes de desarrollar este tema quise iniciarlo con ambos, lo de Dios se comparte, lo bueno se repite, las buenas noticias se divulgan, se exhiben y creo que lo que hemos recibido de Dios no es solo para uso o disfrute personal o familiar, sino para alumbrar a cuantas personas podamos durante nuestra estadía en este mundo.

Esa es la razón de ser de este libro, esta idea de contar las maravillas de Dios con mi testimonio de vida. Desde que la iniciativa llegó a mi cabeza me mantuvo expectante, emocionado. Todos los días fantaseaba con el lanzamiento de este material, porque no veía un éxito más en mi vida ni un logro personal realizado, sino una herramienta que iba a impactar la vida de muchas personas que podrían conocer a Cristo de una manera práctica y con un ejemplo que ha sido carta abierta en mi país y en el extranjero, como es mi vida.

Les garantizo que no tengo nada que confesar, que he sido siempre la misma persona desde el día cero. Puedo decir que la fama o sus efectos negativos no me tocaron, porque Dios me preparó antes de darme la herencia que Él había destinado para mí desde antes de la fundación del mundo en este tiempo. Todo proceso que viví y que les he contado en cada una de las partes de este libro, me ayudó a conocer a un Dios que ama al humilde, pero que mira de lejos al altivo, a un Dios que bendice la mano diligente, pero que al negligente aún lo que no tiene se lo quita, un Dios que es puro amor, pura misericordia, un Dios que cuando promete, cumple. Por eso, como conozco las bondades de mi Dios y cómo se mueve, he tratado hasta en lo más mínimo de agradecer por lo que por gracia he recibido, reconociendo siempre que la gloria es de mi creador.

¡Es por fe!

Lo de Dios se comparte y, si bien me ha dado su bendición y me ha permitido transmitirla a muchos, en esta ocasión no quiero hablarte de lo monetario, de dádivas ni de limosna; no quiero hablarte de dinero ni de ninguna otra cosa material. Quiero contarte que la frase: "Lo de Dios se comparte", me llegó durante una prédica del filántropo, misionero y evangelista Mike Silva, en la ciudad de Santiago de los Caballeros, en la apertura de su cruzada Festival por la vida. Él hablaba sobre unos leprosos que Jesús había sanado y decía que sus nombres no estaban registrados en la Biblia. Sin embargo, el milagro que había ocurrido en sus vidas sí, porque no se trataba de ellos, sino de lo que Jesús hizo en ellos; nunca se ha tratado de nosotros, sino de lo que Él hace a través de nosotros, pero la frase que más impactó mi vida, mi alma y corazón fue: "El cambio en la República Dominicana solo Cristo lo puede provocar, pero es a través de nosotros que lo hará". El predicador pidió que levantara la mano todo aquel que se comprometiera a ser parte del cambio que Cristo iba a provocar en la República Dominicana.

En ese momento, sentí un peso de compromiso, ese compromiso que provocan palabras con las que se siente la convicción de que están dirigidas a uno. Siempre he proclamado que soy un hombre bendecido por la familia que Dios me dio y, con honestidad, esa es una de mis mayores fuentes de felicidad aquí en la Tierra, pero no soy la mayoría. Quiero que muchas familias también estén unidas, brindando en la frecuencia del amor, que es aquella en la que sintonizamos con Dios y cuando estamos conectados con Él todo, absolutamente todo cambia.

Aquellas palabras golpearon tan fuerte mi corazón que iba en el vehículo con mi equipo de trabajo debatiendo ideas para involucrar a las masas en la tarea de volverse hacia Dios, conocerlo y saber el verdadero motivo de la cruz. Si nosotros, a los que Dios nos dio el privilegio de ser amados y respetados por su nación y, sobre todo, la honra de poder recibir la luz de Cristo, no hablamos, no divulgamos la noticia de salvación, entonces, ¿quién lo hará?

Tenemos que compartir las buenas nuevas de amor y salvación, pero sobre todas las cosas, modelarlas, porque el mismo Jesús dijo que cuando venga lo hará para buscarse a sí mismo. O sea, que todo el que se parezca a Él de una manera integral será quien se le unirá. No son la religión a la que pertenecemos ni los favores que hagamos los que nos harán partícipes de la misma mesa del maestro, sino el hecho de que hayamos alcanzado la estatura del ser humano perfecto y para eso, día a día debemos negarnos a nosotros mismos y, en la medida en que nos neguemos, evolucionamos y nuestro entorno se va contagiando con ese cambio.

Ese es el verdadero mensaje, esa es la verdadera red de salvación, que la gente sea movida por tu forma de vivir, por tu forma de enfrentar cada obstáculo que el día a día te presenta, por tu manera de tratar a los demás, por tu bondad, por tu amor. Eso fue lo que marcó la diferencia en Jesús, que Él era correcto, que vibraba todo el tiempo en amor y las personas amaban su cercanía y querían parecérsele. De hecho, a Pedro lo reconocieron porque se vestía como Él. Jesús se convirtió en un modelo a seguir; ese es el mensaje y debe ser la meta.

Para mí, la única manera de presentar a Jesús en esencia en estos tiempos, modelando los pasos del maestro es no pagando mal por mal, sino venciendo el mal con el bien, perdonando a quienes nos ofenden, no alegrándonos de la desgracia ajena, siendo solidario hasta con los que se han declarado nuestros enemigos. No basta con decir que somos diferentes, porque con la boca podemos decir cualquier cosa, pero lo que va a determinar y revelar lo que verdaderamente somos son nuestros actos. Si somos luz tenemos que alumbrar donde lleguemos, tenemos que ser la solución, no el problema.

Hoy más que nunca necesita de Cristo. Estamos bombardeados por un grupo de personas que quieren modificar para mal el modelo original, que están apostando a un caos global, pero los que somos de Cristo debemos levantarnos y procurar clonarnos en la mayoría de personas, porque si Cristo está en la ecuación, el mal no se saldrá con la suya. Vamos a compartir las buenas nuevas, vamos a hablar de Dios, vamos a proclamar su nombre, pero sobre todo, vamos a parecernos más a Jesús y eso provocará un cambio sin precedentes en el planeta.

"Bienaventurado el varón que resiste
las tentaciones, porque después de superadas recibirá la corona de vida que Dios
ha prometido a los que le aman".

Santiago 1:12 -13

Y CON ESTA ME DESPIDO

Y CON ESTA ME DESPIDO

A ti, que estás leyendo mi testimonio de vida que he dejado plasmado en este escrito, quiero decirte que Dios es real. Lo mismo que ha hecho conmigo podrá hacerlo contigo. Solamente tenemos que pedírselo de corazón y creer. No importan nuestro origen ni la situación en que nos encontremos en este momento, Dios tiene otro plan para tu vida. Dios me ha bendecido con una familia maravillosa, una esposa virtuosa, unos hijos amados, buscados y deseados, unos hermanos incomparables, amigos que son más que hermanos.

Doy gracias a Dios por los padres que me dio, porque fueron bendición para mi vida, porque me enseñaron el valor del amor a Dios, de la amistad, del trabajo, del estudio, pero sobre todo, de la honestidad. Me enseñaron a amar, a querer y a respetar. Los admiro, los amo. Soy la esencia de ellos. Le doy gracias a Dios por sus vidas. Son, en el plano humano, a quienes más quiero parecerme.

Dios me ha permitido ser canal de bendición predicando con el ejemplo. Su palabra dice: "Bienaventurado el varón que resiste las tentaciones, porque después de superadas recibirá la corona de vida que Dios ha prometido a los que le aman". Santiago 1:12-13.

Dios les bendiga.

Ahora espero decir como el apóstol Pablo:

> *He peleado la buena batalla. He acabado la carrera. He guardado la fe. Por lo demás me está guardada la corona de justicia, la cual me dará el señor, juez justo en aquel día. Y no solo a mí, sino también a todos los que aman su venida.*
>
> *2 Timoteo 4: 7-8*

Dios ha estado conmigo hasta en los momentos que he considerado desdichados en mi vida y mi carrera. Dios me ha manifestado su amor, su misericordia y su respaldo en todo.

GLOSARIO DE DOMINICANISMOS

Carajito: (1)Persona que está en la niñez. (2)Niño.

La Chu: el último en hacer o lograr algo.

Vaina: (1) Cosa o asunto cuyo nombre se desconoce, no se recuerda o no se quiere mencionar. (2) Persona molesta, fastidiosa. (3) Persona o situación demasiado exigente.

REFERENCIAS

Asociación de Academias de la Lengua Española (s.f.). Diccionario de Americanismos. Recuperado en www.asale.org/damer/carajito#:~:text=Persona%20que%20est%C3%A1%20en%20la%20ni%-C3%B1ez, el 24 de agosto de 2022.

Asociación de Academias de la Lengua Española (s.f.). Diccionario de Americanismos. Recuperado en www.asale.org/damer/vaina, el 23 de agosto de 2022. Diccionario Libre (s.f.). Recuperado de https://diccionariolibre.com/definicion/La-Chu!, el 23 de agosto de 2022.

Oxford Languages and Google (s.f.). Recuperado de www.languages.oup.com/google-dictionary-es, el 5 de julio de 2022

Real Academia Española. (s.f.). Proceso. Diccionario de la lengua española. Recuperado en www.rae.es/drae2001/proceso, el 21 de julio de 2022.

Reina Valera, (1960). Santa Biblia-Nueva Versión Internacional- Sociedad Bíblica Internacional.